Chi
une vie
de chat

D0733941

7

Sommaire

ON VA DANS UN BON COIN ? IL EST OÙ ?

HAN

MIAA !!

Z'AI HÂTE DE LE VOIR !

HAN

MIAAA !

HAN

TU T'APPELLES CHI, C'EST ÇA ?

MROW !!

MROW !!

MOI, C'EST MINOU.

MROW !!

SUIS-MOI, CHI !

ATTENDS, MINOU !

MIA !

RESTAURAN BRASSERIE RAGOÛTS

BRASSERIE RAGOÛTS

MIAAA !!!

FERMÉ

ON EST ARRIVÉS ???

HAA

HAA

C'EST UN ENDROIT POUR ZOUER ?

MIAH !

MIAH !

ON VA FAIRE QUOI ?

MIAA !!!

DIS-MOI, MINOU !

...

FERMÉ

MROW.

ON Y VA, CHI.

FOUIP

TAP
TAP
TAP

DIS, ON VA OÙ ?

MIA !

C'EST LOIN ?

MIAA !!

MIA !

ON VA MARCHER ENCORE LONGTEMPS ?

MIA !

ALLEZ, RÉPONDS !

MROW !!!

PEUH !

MROW !!!!

FINALEMENT, JE NE T'Y EMMÈNERAI PAS.

QUOIII ?!

MIAA !!!

CIAO !

MROW !!

FRSH

CRR

MIAAH !

OUAAAH !

6

C'EST ÇA, TON BON COIN ?

MROW !!

MIAAH !!

PARDON ?!

FROT

FROT

AU FOND D'UN TROU, BIEN SERRÉS, TOUT BLOTTIS...

MIAH ...

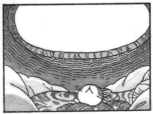

DE QUOI TU PARLES ?

PFF

BIEN SERRÉS,
TOUT BLOTTIS...

Z'AI BIEN
CHAUD...

PEUH !

FROT

ZE NE
CONNAIS
PAS CETTE
ODEUR...

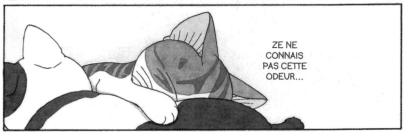

Z'AI
L'IMPRESSION...

DE LA
CONNAÎTRE
QUAND
MÊME...

MAIS...

C'EST
BIZARRE...

Chat pitre 111 / fin

HM ?

OÙ ZE SUIS ?

NYAR !

ON RENTRE.

MIAH...

OH, NOIRAUD...

NYAR !

JE T'AI CHERCHÉE PARTOUT.

MIAA...

ZE SUIS ALLÉE PAR LÀ-BAS...

MIAH !

AVEC MINOU.

NYAR.

TU ES PETITE, MAIS COURAGEUSE.

MIAH !

AH...

NYAR.

LA RÉUNION EST FINIE POUR CE SOIR.

NYAR.

LES CHOSES SE PASSENT COMME ÇA, LA NUIT, DANS LE PARC.

NYAAR.

LES CHATONS N'ONT PAS BESOIN D'Y ASSISTER.

MIAH !

AH !

MIA !

ZE RECONNAIS CET ENDROIT !

MIAH !

OH !

MIAH !

CELUI-LÀ AUSSI !

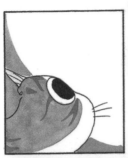

MIAA

ZE VAIS MARCHER TOUTE SEULE.

LE PARC, LA NUIT...

HUM

VIENS, NOIRAUD ! ON RENTRE !

MIAH !

NYAR.

OUI...

NYAR
...

TU MARCHES AVEC BEAUCOUP D'ASSURANCE !!!

MIAH ???

QUOI ?

NYANYAR.

HA HA HA ! NON, RIEN.

NYAR.

TU NE VEUX PAS QUE JE T'ACCOMPAGNE JUSQU'À TON JARDIN ?

MIAAA !!!

NON, ÇA VA, NE T'INQUIÈTE PAS !

BONNE NUIT !

MIAH !!

MIAA !

À BIENTÔT, NOIRAUD !

SALUT.

NYAR.

C'EST FERMÉ !

MIAAA !!!

OUVREZ-MOI !

GRAT GRAT GRAT

MIAA !!!

OUVREZ-MOI !

MIAA !!!

OUVREZ !

GRAT GRAT GRAT GRAT GRAT GRAT GRAT GRAT GRAT GRAT GRAT GRAT GRAT GRAT GRAT GRAT GRAT

OUVREZ LA PORTE !

MIAAA !!!

GRAT

FIOUUU

...

Chat pitre 112 / fin

C'EST DUR...

Z'AI FROID...

ET FAIM...

CUI
CUI

AH !

CUI
CUI

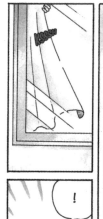

ON EST LE MATIN...

Z'AI PASSÉ TOUTE LA NUIT PAR TERRE...

PARCE QUE LA PORTE ÉTAIT FERMÉE !

KSSSH

KSSSH

!

MAMAAAN !

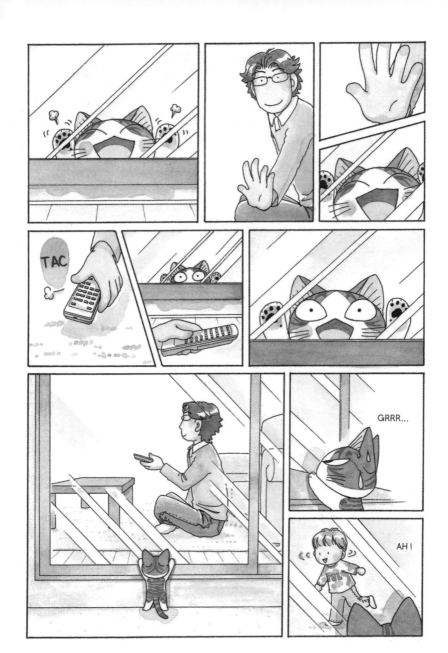

LE SOL
EST DUR.

Z'AI FROID.

Z'AI FAIM.

Z'AI SOIF.

ZE SUIS RENTRÉE !

MIA !!

MIAA !!

C'EST MOI !

TOC TOC TOC TOC

MIA !!

REGARDEZ TOUS, ZE VOUS DIS QUE ZE SUIS LÀ !

Chat pitre 113 / fin

Chat pitre **114** Chi rentre

Chat pitre **114** Chi rentre

OUVREZ-MOI !

MIAA !!

POC POC POC POC

QU'IL FAIT BEAU !!!

JE SUIS TOUT ÉBLOUIE !!!

HM ??

27

EST-CE QUE CHI EST ICI ?

NON... MAIS ELLE NE DOIT PAS ÊTRE LOIN.

ELLE N'EST NI SUR LES LITS, NI DANS LA CUISINE.

ELLE A PEUT-ÊTRE DÉCIDÉ DE JOUER À CACHE-CACHE DE BON MATIN !

HA HA HA

MAIS... ELLE ACCOURRA DÈS QU'ON COMMENCERA À MANGER, NE T'EN FAIS PAS !

C'EST VRAI !!

POC POC POC

VRRR

VRRR

FOUIP

TOUT ÇA ALORS QU'ELLE A SON PROPRE REPAS QUI L'ATTEND !!!

MAIS ...

À PROPOS ...

OÙ EST-ELLE ?

BIZARRE ...

TIENS, C'EST VRAI !

ELLE QUI NE MANQUE JAMAIS UN REPAS...

ELLE N'EST PAS LÀ ?!

OÙ EST-ELLE PASSÉE ?!

CHIII !!!

CLAC

DAM DAM DAM DAM

CLAC

CHIII !!!

CHIII !!!

CRR

LÉGO

Chat pitre 114 / fin

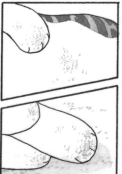

CHI EST TOUTE SALE...

AH BON ?!

ET EN PLUS...

SNIF SNIF SNIF

ELLE EMPESTE !!!

HEIN ?!

QUE... QUE FAIT-ON ??

MIAH ?

QUOI ?

ON VA LA LAVER !

CLONG

TU VAS VOIR, CHI, TU VAS ÊTRE TOUTE PROPRE !

POURVU QU'ELLE SE TIENNE TRANQUILLE...

MIAAW !

AU SECOURS !

PAF
PAF
PAF

TAC

PLOP

PLOP

AU SEC...

PLOP PLOP

PLOP

PLOP

PLOP

38

SOYEUSE À SOUHAIT

TU ES TOUTE DOUCE, CHI !!!

FROT FROT

SNIF SNIF SNIF

TU SENS BON !

ON SE SENT MIEUX QUAND ON EST BIEN PROPRE, PAS VRAI ?

...

FOUIP

CHI !

MIAAW !

QU'EST-CE QUE VOUS ME VOULEZ, ENCORE ?!

ELLE N'A PAS L'AIR CONTENTE ...

IL RESTE UNE ÉTAPE ...

QUOI ??

TU ES SÛR ?

KSS

Chat pitre 115 / fin

L'INSTALLATION EST FINIE.

NOUS EMPORTONS VOTRE ANCIEN TÉLÉVISEUR, COMME CONVENU.

MERCI, AU REVOIR !!

Clac

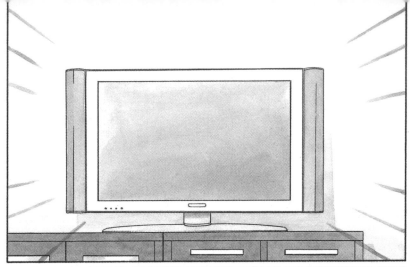

L'ÉCRAN EST IMMENSE, ET POURTANT TRÈS FIN !

C'EST GÉNIAL !

OUI...

TOUT À FAIT !!

DVB-C, DVB-S2... ÇA EN FAIT, DES BOUTONS...

ET COMME IL EST NUMÉRIQUE, IL PEUT AFFICHER LES MENUS À L'ÉCRAN.

C'EST QUOI ?

MIAA ...

JE L'ALLUME !!!

TIP

BIP

CROU CROU !!

POUR NOTRE PROMENADE HEBDOMADAIRE, NOUS SOMMES VENUS DANS CE TEMPLE...

!

OOOH !!!

OH ?!

BEAUCOUP DE PIGEONS Y VIVENT...

CROU CROU !!

BAM

COMME VOUS LE VOYEZ, ILS SONT BIEN HABITUÉS AUX HUMAINS.

CROU CROU !!

CHI REGARDE LA TÉLÉ !

ADMIREZ UN PEU CET ORDINATEUR PORTABLE ! LA CAPACITÉ DE SON DISQUE DUR EST DE...

AH...

IL DISPOSE ÉGALEMENT D'UNE RAM STUPÉFIANTE...

FWAAAH

ET DE L'INTERNET SANS FIL.

POUT POUT

SLUP

ET SON PRIX EST TOUT BONNEMENT ...

SLUP SLUP SLUP

CETTE ÉMISSION L'INTÉRESSE TOUT DE SUITE BEAUCOUP MOINS...

IL FAUT DIRE QUE ÇA NE CONCERNE PAS LES CHATS !

FIOU...

ET SI ON EN TESTAIT UNE AUTRE ?

... ET VOICI UN BANC DE CHIN-CHARDS ...

OH !

ÇA, ÇA VA LUI PLAIRE !

HÉ, CHI !

HOP

POM

REGARDE !

CE SONT DES POISSONS !

HUM ?

ALORS ? TU ES CONTENTE ?

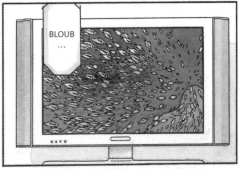

BLOUB ...

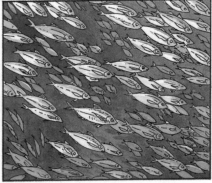

Chat pitre 116 / fin

MIAH ! ÇA BOUZE !

!

OH !

OOOH...

OOOH !

MIAAA

Z'AI FAIT UNE SUPER DÉCOUVERTE !

ET MAINTENANT ?

QU'EST-CE QUE ZE VAIS FAIRE ?

WAH !

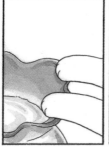

ZE L'AI MANQUÉ !

MIAAW !!!

MIAW !!!

ET ZE ME SUIS MOUILLÉE !

SLUP

SLUP

SLUP

TSING

HOP

CETTE FOIS-CI, ZE L'ATTRAPE !

HMM...

HMM

STOP

NYAH !

C'EST LE MOMENT !

TOC

QUOI ?!

CHI EST MONTÉE À L'ÉTAGE ?!

OUI.

ELLE A GRIMPÉ L'ESCALIER TOUT À L'HEURE.

CATA-STROPHE !

Chat pitre 117 / fin

ANIMALERIE
CHIENS CHATS RONGEURS POISSONS

TIENS
...

POISSONS
ROUGES

DES
POISSONS
ROUGES
...

FRSH FRSH

LITIÈRE
VÉGÉTALE

FRSH
FRSH

LITIÈRE
VÉGÉTALE

OOOH
...

JE RÊVAIS
D'EN AVOIR
QUAND
J'ÉTAIS
PETIT...

BLOUB

Chat pitre 118 / fin

MIAH ?!

SOIS GENTILLE, CHI !

IL NE FAUT PAS PÊCHER LE POISSON ROUGE.

POF

FOUIP

MAIS MOI AUSSI, ZE VEUX ZOUER...

TAP TAP TAP

MIAA !!!

PAPA ! MOI AUSSI, ZE...

LÂCHE-MOI, PAPA !

MIAW !!!

ZE SAIS !

ZE VAIS M'APPROCHER DISCRÈTEMENT...

SHHH

TIP TIP

TIP

OUF !

OUPS

!

HIII !

VITE, UNE RUSE !

HUM ?

MOI, ZE REGARDE LÀ-BAS ...

LÀ-BAS ET NULLE PART AILLEURS...

ZE
DORS...

ZE DORS
À PATTES
FERMÉES...

SHHH

Z'AI RÉUSSI !

FOUP

PAPA NE ME
REGARDE PAS,
TOUT VA BIEN...

TIP

TIP

CLANG

CLANG

TIP

TIP

TIP

HI HI HI

VASH

ZE VAIS POUVOIR ZOUER !

MIAAH ?!

BEN ÇA ALORS ?!

CHI ! REGARDE UN PEU PAR ICI !

QUOI ?!

ET VOILÀ ! IL N'A PLUS RIEN À CRAINDRE DU CHAT !

MIAA !!!

IL EST LÀ ! ZE LE VOIS !

Chat pitre 119 / fin

TIENS
...

ILS DORMENT
BIEN SAGEMENT
TOUS LES
DEUX...

CLANG

CLANG

POC

MI ?

HOP

ET VOILÀ ! ON PEUT LE REGARDER D'EN HAUT ...

ET MÊME DE CÔTÉ !

MIAAA !!

OOOH...

OH !

TOI AUSSI, TU VEUX VOIR LE POISSON ROUGE ?

TIP

UNE P-R-O-I-E !

CHI ...

TU AS VU COMME IL NAGE BIEN ? C'EST RIGOLO, NON ?

x

MIA !

PAPA ! !

MIAA !

ZE VEUX LA PROIE !

J'ÉTAIS SÛR QUE ÇA TE PLAIRAIT.

WAAAH ! ZE PEUX L'AVOIR, ALORS ?!

FROT FROT FROT

MIAA !

REGARDE-LE AUTANT QUE TU VEUX !

MIAA !

ZE PEUX, HEIN ?

OH, CHI !

MIAA !

PAPA !

JE SUIS SI CONTENT !

ZE SUIS SI CONTENTE ! !

MIAA !

FOUIP

À MOI LA BONNE PROIE !

MIAAH !

HEIN ?!

AAAH !

SHH

SHAF

MIAH ?

BEN ?!

MAIS ENFIN, CHI ?!

MIAA !

PAPA, POURQUOI TU M'EMPÊCHES DE L'ATTRAPER ?!

MIAAW !!!

CETTE PROIE EST POUR MOI !

CHI...

MIAA !!!

MIAA !!!

TU AS DIT QUE TU ME LA DONNERAIS, PAPA !

FLAP FLAP FLAP

IL NE FAUT PAS PÊCHER MON POISSON, VOYONS !

DU CALME, CHI !

HAN HAN HAN HAN

GRAB

FOUP FOUP FOUP

POM

LE POISSON ROUGE EST LÀ POUR ÊTRE REGARDÉ.

P - R - O - I - E !

… | MIAAAH !
MIAAAH ! | MA PROIE !
MA PROIE !

FLAP FLAP FLAP

TU ES BIEN
UN CHAT,
PAS DE DOUTE
…

MIAAAH !
MIAAAH ! | AH
LÀ LÀ
…

Chat pitre 120 / fin

SNIF SNIF SNIF

?

ZE DOIS VOIR CE QUI SE PASSE LÀ-HAUT !

MIAH !

TAC

HOP

JE VAIS COMMENCER PAR DE LA SAUCISSE.

MOI, JE PRÉFÈRE UN BOUT DE PAIN.

ET MOI DU BROCOLI !

ET...

C'EST PARTI POUR...

LA PREMIÈRE FONDUE SAVOYARDE DE YOHEI !

YOUPI !

HEIN ?!

GNN

NOOON !
ARRÊTE, CHI !

OH LÀ LÀ !
ELLE M'A FAIT
PEUR...

ON A FAILLI
AVOIR UNE FONDUE
CHAT-VOYARDE !

ILS M'ONT
FAIT
PEUR...

FOUIP

OH ?

GNOUP

GNOUP

QU'EST-CE
QUE C'EST ?

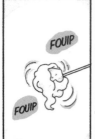

FOUIP

FOUIP

QU'EST-CE
QU'ILS FONT ?

FOUIP

JE VAIS ESSAYER
D'AGGLUTINER
BEAUCOUP
DE FROMAGE !

MIAM

MIAM !

BLOP

GNOUP

GNOUUU

AH !

GNOUUUP

WAAAH !

GNOUP

FOUIP

FOUIP FOUIP

FOUIP

ZOUIP

ZOUIP ZOUIP

ZOUIP

MIOM

QUEL RÉGAL !!

MOI AUSSI, JE VEUX BEAUCOUP DE FROMAGE !

PLOP

GNOUP

GNOUUU

OOH !

GNOUUUU

OOOOH !

BOING

OOOH...

MIAA !

Z'AI ATTRAPÉ QUELQUE CHOSE DE SUPER...

MIA...

CHAUD...

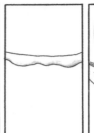

HEIN ?!

GNOUUUP

SNIF

SNIF

SNIF

WAAAAAH

IL FAUT LUI ESSUYER LES PATTES...

GNOU

GNOUUUUP

MIAA !

TU EN AS ÉTIRÉ PLEIN, YOHEI...

MIA !

C'EST DÉLICIEUX !

Chat pitre 121 / fin

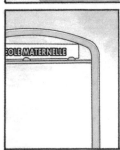

ZE NE LES VOIS PLUS...

ZE SUIS OÙ ?

MIAH...

DE QUEL CÔTÉ ZE DOIS ALLER ?

PAR ICI ! MINOUS !

MIAOU

MIAOU

MINOUS, MINOUS !

OUVERTURE À 12H

ALLEZ, VENEZ ! MINOUS !

MIAOUUU

HM ?

QU'EST-CE
QU'IL Y A ?

MIAOU
MIAOU

MROW

QU'EST-CE
QUI SE
PASSE ?

HOP

CROQUETTES
POUR CHAT

MIAOU !
MIAOU !

CROC
CROC
CROC
CROC CROC

MROOW
!!!

HMMM

HMMM

PAF

MROW !

GNN
GNNN

MROOW
!!

93

MIAA !

OH ! MAIS C'EST LE PETIT !

LE PETIT ....

MIAA !

ZE SUIS CONTENTE DE TE VOIR, PETIT !

MROW !

NE M'APPELLE PAS PETIT !

MROW !

JE T'AI DÉJÀ DIT MON NOM...

JE SUIS LE GRAND MONSIEUR MINOU !

MROW

MIAA

PAR ICI !

MINOUS, MINOUS !

YOUPI ! ZE T'AI RETROUVÉ, MINOU !

PEUH !

CROC CROC CROC CROC

Chat pitre 122 / fin

TAP TAP TAP TAP

MIAA !

OÙ EST MA MAISON ?

...

DAM DAM DAM DAM DAM DAM

MIAA !

DE QUEL CÔTÉ ?!

MIA MIAH !

PAR OÙ EST MA MAISON ?!

!

HAA

HAA

HAA

MIAH !

CHEZ MOI !

...

FOUIP

MROW !!!

JE NE TE LE DIRAI PAS.

MIAA !

HEIN ?! MAIS POURQUOI ?

MROW !!

PEUH!!

MIAA !!

ZE TE DEMANDE ZUSTE DE M'EXPLIQUER LA ROUTE !

STOP

MIA !

POUM

FROT FROT FROT

MROW !

ELLE ARRIVE !

SNIF SNIF SNIF

QUI ÇA ?

MIA ?!

MAMAN ?!

MIA ?!

YOHEI ?!

TU ES BÊTE OU QUOI ?!

MROW !

OÙ EST MA MAISON ?!

MIAA !!

MROW !!!

IDIOTE !

PLIC

DASHT

PLIC

MIAAA !

ATTENDS-MOI, ENFIN !

TU VAS ÊTRE TOUTE MOUILLÉE !

MROW !

MA MAISON...

MIA !!

SHHHHH

SHHHHH

SHHHHH

Chat pitre 123 / fin

104

SHHH
SHHH
SHHH

HAA
HAA
HAA
HAA
HAA

SHHH
SHHH

PLIC PLOC

SHHH
SHHH

PFOU~

...

...

MROW
...

TA FAMEUSE MAISON...

MROW
...

C'EST TRÈS GRAVE, SI TU NE PEUX PAS Y RETOURNER ?

MIAH !

OUI.

MROW.

AH...

ET C'EST QUOI, UNE MAISON ?

MROW
...

À LA MAISON...

MIAA !!

IL Y A YOHEI...

MIAA !!

MIAA !!

ET PUIS MAMAN ET PAPA.

MIAA !!

IL Y A AUSSI MON COUSSIN QUE ZE MORDILLE...

...

MIAH !!

TU M'ÉCOUTES ??

IL EST DOUX ET MOELLEUX.

MIAA !!

MIAA !!

IL EST ZÉNIAL, MON COUSSIN.

DOUX ? MOELLEUX ?

MROW !!

C'EST QUOI, ÇA ?!

MROW !!

MROW !

PEUH !

FOUP

FOUP

FOUP FOUP

GNN

MROW
....

SNIF
SNIF SNIF
SNIF

OUI,
ENCORE
UN BON
MOMENT,
JE PENSE.

Z'AI UN PEU
SOMMEIL...

MIAH
....

SHHH

SHHH

SHHH

SHHH

SHHH

ÇA ARRIVE
SOUVENT, LES
JOURS DE
PLUIE.

AH BON ?

MROW.

MIAH
....

SHHH

SHHH

DOUX ?
MOELLEUX ?

JE ME DEMANDE SI ÇA FAIT CET EFFET, UN "COUSSIN"...

SHHH SHHH SHHH

DIS, MINOU...

MIA ...

MROW !!

HM ?

MIAH ...

ZE PEUX RESTER ENCORE UN PEU SUR TON TERRITOIRE ?

OUAIS.

MROW.

Chat pitre 124 / fin

MROW !!

JE N'EN AI PAS BESOIN, MOI !

SLUP

MIAA !!

MAIS SI, LAISSE-MOI FAIRE !

SLUP SLUP SLUP SLUP

...

PEUH !

MROW !

FAIS ATTENTION OÙ TU METS LES PATTES !

MIAA !!

PROMIS !

TIP TIP TIP TIP TIP TIP TIP TIP TIP

MIAH ...

ZE DOIS RETROUVER MA MAISON...

TIP TIP TIP TIP TIP TIP

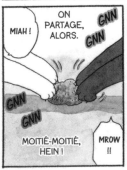

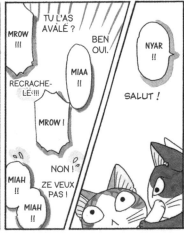

MIAH !

OH...

NYAR !

QU'EST-CE QUE VOUS FABRIQUEZ, TOUS LES DEUX ?

MIAA !

NOIRAUD !

POM

MIA !!

ZE SUIS CONTENTE DE TE VOIR !

SI TU ES LÀ, ZE VAIS POUVOIR RENTRER À LA MAISON !

MIA !!

MROW !

ELLE A MANGÉ UN TRUC BIZARRE !

POF

NYAR ?

ÇA ?

POF

SLUP

SLUP

QUOI ?

MYA ?

NYAR !

TU L'AS BIEN RENIFLÉ ?

MIAH !! NON !

NYAR ! C'ÉTAIT BON ?

MIAH ... EUH...

MIAA ! PAS TELLEMENT, NON...

MIAH !! POURQUOI ?

SNIF SNIF SNIF

!

NYAR !

IL FAUT TOUJOURS RENIFLER LA NOURRITURE AVANT DE MANGER !

MROOW !!!

C'EST POURRI, CE TRUC !

Chat pitre 125 / fin

MIAAA ! ZE ME SENS TRÈS BIEN !

PAR SÉCURITÉ, IL VAUT MIEUX QUE TU RENTRES CHEZ TOI.

NYAR !

NYAR !! QUOI ??

HI HI

MIAA ... ZE NE SAIS PLUS COMMENT RENTRER...

VOUS ALLEZ À LA "MAISON" ? JE VOUS ACCOMPAGNE !

NYAR ! SUIS-MOI !

MROW !!

MIAA !! YOUPI !

MIA ! AH !

TAP TAP TAP

MIAA !!

LE PARC !

OUUUF

POF

HEU ?

ZE ME SENS BIZARRE...

GLOUB
GLOUB
GLOUB
GLOUB

BLOUB

LAIT

TU EN VEUX AUSSI ?

LAIT

LAIT

ON DIRAIT
QUE NON
...

CLAP

ARGH...

GH
GH

GH
GH

GH

ZE ME
SENS...

...MAL-!!!

RH RH RH RH RH

TIENS ??

BEUARGH

OH !

CHI ! EST-CE QUE ÇA VA ?!

MAIS... QUE SE PASSE-T-IL ?!

CHI !

TAP TAP TAP TAP

STOP

J'ESPÈRE QU'ELLE VA BIEN...

MROW ...

...

HAA

HAA

HAA

HAA

ZE ME SENS MAL...

ARGH ...

Chat pitre 126 / fin

HAAAA

QUE T'ARRIVE-T-IL, CHI ?!

VITE, LE MANUEL SUR LES CHATS !

ÇA VA ?!

'BADABLAM

BRR   BRR

IL DIT QUE PARFOIS, LES CHATS VOMISSENT DES BOULES DE POILS...

J'ÉDUQUE MON CHAT

DES POILS ??

APPAREMMENT, IL S'AGIT DES POILS QUE LE CHAT AVALE EN SE LÉCHANT POUR SE LAVER.

RECRACHER DES BOULES DE POILS EST TOUT À FAIT NATUREL, DONC DANS CE CAS IL N'Y A PAS À S'ALARMER.

D'ACCORD ...

J'ÉDUQUE MON CHAT

EST-CE UNE BOULE DE POILS ?

VOYONS VOIR...

JE NE SAIS PAS TROP...

ÇA CONTIENT DES POILS...

MAIS ILS NE SONT TOUT DE MÊME PAS AGGLOMÉRÉS.

ÇA NE SEMBLE PAS ÊTRE UNE BOULE DE POILS.

ET CE MORCEAU BIZARRE, C'EST QUOI ?

JE NE SAIS PAS ...

DE LA VIANDE ??

Pourquoi l'aurait-elle mangé ?

!

ZE ME SENS MAL...

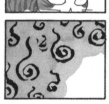

RH

RH

HM ?

RH RH RH

RH

129

BOUARGH

ELLE A ENCORE VOMI !

ZE DOIS ME SAUVER.

ÇA NE VA PAS DU TOUT...

FOUP FOUP

BAM

QU'A-T-ELLE CRACHÉ, CETTE FOIS ?

UNE BOULE DE POILS ?

OU UN MORCEAU NON IDENTIFIÉ ??

NI L'UN,
NI L'AUTRE
...

ON DIRAIT...
DE L'EAU ?

!

ZE ME
SENSIMAL...

RH RH

AH !

JE CROIS
QUE
ÇA LA
REPREND
!!

RH RH RH

RH

BOUARGH

ENCORE !

C'EST QUAND MÊME BIZARRE QU'ELLE VOMISSE AUTANT...

QU'EN DIT... LE LIVRE ?!

FLAP

"SI JAMAIS VOTRE CHAT EST PRIS DE VOMISSEMENTS RÉPÉTÉS..."

OUI...

ÇA CORRESPOND TOUT À FAIT ...

"EMMENEZ-LE ..."

J'ÉDUQUE MON CHAT

J'ÉDUQUE

IL FAUT L'EMMENER CHEZ LE VÉTÉRINAIRE !

ÇA NE VA PAS...

ZE ME SENS TRÈS MAL...

Chat pitre 127 / fin

CHI !

CHI ?

CHI, OÙ ES-TU ?

VIENS ICI, CHI !

CHIII !

ILS M'APPELLENT ...

CHIII !

MAIS...

ZE VEUX RESTER ICI.

135

CHI !

MONTRE-TOI, ON VA CHEZ LE DOCTEUR.

OÙ A-T-ELLE PU PASSER, DANS SON ÉTAT ?

CARTE DE CONSULTATION
N°1366
MLLE CHI YAMADA

CHIII !

SI ZE RESTE ICI, ÇA IRA...

!!

ARGH...

KHOF
KHOF

ZE ME SENS TRÈS MAL...

RH

RH

BEUARGH

LÀ !

DERRIÈRE LE MEUBLE TÉLÉ !

PFIOU

RATÉ...

CRRR

CRR

CRRR

ELLE EST TOUT AU FOND ...

ELLE RESTE ÉTALÉE LÀ, PAR TERRE ...

ÇA VA, CHI ?!

FOUIP

MIAH !

QU'EST-CE QUE TU ME VEUX ?!

MIAAW !!

MIAAW !!

ZE VEUX RESTER ICI !

F R R R

MI...

HAN

PFIOU

OH, NON ! ELLE EST À BOUT DE FORCES !

TIENS BON, ON FILE CHEZ LE DOCTEUR !

ENCORE UN TOUT PETIT EFFORT !

TIENS BON, CHI !

C'EST BIENTÔT FINI.

CHI...

ZE N'AI...

PLUS DE...

FORCE...

ZE TOMBE...

ZE M'ENFONCE...

DE PLUS EN PLUS...

COURAGE, CHI !

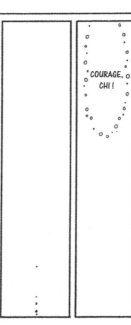

TIENS BON, CHI !

COURAGE !!

ZE REMONTE...

ZE REMONTE...

DE PLUS EN PLUS ...

TIENS BON, CHI !

CHI ...

RÉTABLIS-TOI VITE !

141

VOUS CROYEZ QU'ILS SE SONT INQUIÉTÉS POUR CHI, EUX AUSSI ?

TOUT LE MONDE LUI SOUHAITE UN PROMPT RÉTABLISSEMENT...

BOING

BOING

HA HA

MAIS ELLE ...

ELLE N'EN A ABSOLUMENT PAS CONSCIENCE !

Chi – Une vie de chat 7 / fin

BONUS 🐾

Chi à la conquête du monde !

**On ne lit pas *Chi – Une vie de chat* qu'au Japon : mais à l'étranger aussi !
L'histoire demeure la même dans tous les pays, mais le manga est parfois
en couleurs, parfois en noir et blanc ; certains ont gardé le logo original du
titre, d'autres l'ont modifié, et quelques-uns ont même changé les bonus
présents en fin de volume ! Il paraît que les variations dépendent des pays…
Intrigués par cette rumeur, Chi et Noiraud sont allés en reportage chez les
éditeurs qui publient la série à travers le monde !**

Chi – une vie de chat se répand à travers le monde

Espagne
Ediciones Glénat **Glénat**

La publication espagnole a démarré en 2009. Toute l'équipe adore les chats, et nous sommes donc tous tombés immédiatement sous le charme de Chi. Nous avons eu l'idée de présenter les chats des lecteurs dans les dernières pages de chaque volume. Dans le tome 1, nous avons commencé avec les matous des membres de notre équipe éditoriale, et de nombreux félins de lecteurs (de 8 à 78 ans) se sont succédés depuis, à partir du tome 2. Nous sommes fous des aventures de Chi ! Ce manga est vraiment passionnant pour les amoureux des chats. Merci à Konami Kanata de dessiner le monde merveilleux de Chi ! Nous attendons la suite de ses aventures avec impatience !

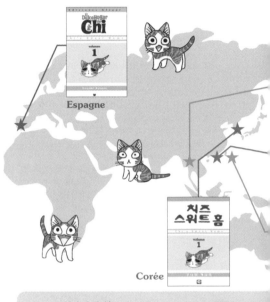

Espagne

Corée

À l'heure où nous écrivons ces lignes*, *Chi – une vie de chat* devait également paraître dans ces pays courant 2010 :

États-Unis – Chine – France

Et d'autres pays devraient encore suivre !

NYAR !

J'ESPÈRE QU'UN JOUR, ON NOUS LIRA DANS LE MONDE ENTIER...

Tant qu'il y aura des chats, *Chi – une vie de chat* poursuivra son expansion !

* N.D.T. : Courant 2009

Corée 鶴山文化社
Haksan Publishing Ltd
(Haksan Munhwa-Sa) **(주)학산문화사**

La Corée du Sud compte beaucoup plus de propriétaire de chiens que de chats, mais depuis peu on rencontr de plus en plus de propriétaires de chats, si bien qu de nombreux livres sur les chats sortent en librairie. pense que *Chi – Une vie de chat* est le plus réputé tous, car il ne se contente pas de parler d'un migno petit chaton. Le manga raconte l'histoire de toute u famille : les Yamada, et Chi. L'adorable bouille de Ch en couverture attire immédiatement les amoureux de chats, mais la douceur du contenu charme progressiveme un public plus global. J'aimerais que cette série ne so pas appréciée uniquement des fans de félins, et qu'el soit lue par des jeunes comme par des personnes âgées, des hommes comme des femmes. La publication vient juste de commencer chez nous : le tome 1 est sorti en février 2010.
J'espère que Chi trouvera un bon foyer dans les prochains tomes. Courage, Chi, la Corée est avec toi !

ici les pays où la série était publiée début 2010 !

Nous avons interviewé les éditeurs qui publient *Chi – Une vie de chat* en dehors du Japon, pour savoir un peu quels aspects de la série plaisent aux lecteurs étrangers !

MIAAA !
MIAAA !

C'EST MOI QUI
AI POSÉ LES
QUESTIONS !

Thaïlande

Taiwan

Hong Kong

Thaïlande
SIAM INTER MULTIMEDIA PLC.

Avant, je ne m'intéressais pas spécialement aux chats, mais à la lecture de ce manga, j'ai réalisé à quel point ils étaient adorables ! À dire vrai, je craignais un peu de vendre la série en Thaïlande... parce que l'héroïne se promène toute nue en permanence ! Les couvertures des tomes 5 et 6 sont particulièrement torrides ! (rires) En tout cas, j'ai hâte de lire la suite. Vivement le tome 7 !

Taiwan
尖端出版股份有限公司
Sharp Point Publishing Group.

Toutes mes félicitations pour la sortie de *Chi – Une vie de chat* tome 7 ! N'importe qui fondrait devant l'adorable frimousse de la petite Chi. Les lecteurs taïwanais attendent avec impatience de découvrir ses nouvelles aventures. J'espère qu'elle continuera d'avancer dans la vie avec entrain, et de donner du bonheur à tout le monde !

Hong Kong
正文社 正文社出版有限公司
www.rightman.net **Rightman Publishing Ltd.**

Je crois que ma première rencontre avec Chi a eu lieu dans un magasin de jouets de Hong-Kong. J'ignorais alors tout de ses origines... Mais plus tard, lorsque je suis devenue éditrice de mangas, je l'ai recroisée. Ce furent de véritables retrouvailles ! C'est un signe du destin ! (rires) *Chi – Une vie de chat* est très populaire ici. Tout le monde, les hommes comme les femmes, aime lire les aventures de Chi : elle est si mignonne ! Les lecteurs qui ont des chats sont bien sûr touchés par ses attitudes, mais je suis persuadée que même les autres fondent en la voyant courir partout, réclamer des câlins, bouder... J'espère que Chi gardera longtemps la pêche pour nous amuser, et qu'on l'aimera de plus en plus ! Bon courage~ ^w^

Chi en visite à Paris !

Dès que la sortie en France de *Chi – Une vie de chat* a été confirmée, Chi a sauté dans l'avion pour préparer la version française ! Après les réunions de travail, elle en a profité pour visiter la capitale...

"ZE SUIS ARRIVÉE À PARIS !"

MIAAA !

2 **L'hôtel de Crillon, un établissement de luxe**

"Z'aimerais bien y passer la nuit..."

1 **La place de la Concorde**

"Ze suis arrivée à Paris !"

3 **Dégustation de champagne au restaurant**

"Ça sent bon ! Oh, mais c'est de l'alcool !!"

LES HÔTELS ET LA NOURRITURE SONT CHICS !!

MIAAA ! MIAAA !